À Gareth
A. R.

Un mot sur l'auteur
Dick King-Smith est l'un des auteurs de littérature enfantine les plus appréciés, et agit quelquefois à titre de présentateur à la télévision. Il a obtenu le *Guardian Fiction Award* pour un livre publié en 1991. Cette même année, il a également été proclamé l'auteur de littérature enfantine par le *British Book Awards*.

LE

CROQUE DOIGTS

LE
CROQUE
DOIGTS

Texte de Dick King-Smith
Illustrations d'Arthur Robins

Traduit de l'anglais par
France Gladu

Données de catalogage avant publication (Canada)

King-Smith, Dick

Le croque-doigts

(Limonade)
Traduction de : The Finger Eater.
Pour les jeunes.

ISBN: 2-7625-8056-0

I. Titre. II. Collection.

PZ23.K5457Cr 1995   j823'.914 C95-940864-9

The Finger Eater
Texte : © 1992 Dick King-Smith
Illustrations : © 1992 Arthur Robins
publié par Walker Books Ltd

Version française
© Les éditions Héritage inc. 1995
Tous droits réservés

Dépôts légaux : 3ᵉ trimestre 1995
Bibliothèque nationale du Québec
Bibliothèque nationale du Canada

ISBN : 2-7625-8056-0

Imprimé au Canada

LES ÉDITIONS HÉRITAGE INC.
300, rue Arran, Saint-Lambert (Québec) J4R 1K5
(514) 875-0327

Table des chapitres

Chapitre 1

Il y a de cela très longtemps, dans les froides terres du Nord, vivait une créature plutôt étrange.

Comme tous les trolls des montagnes —
appelés ainsi à cause de leur propension à
creuser des trous dans la montagne pour s'y
loger —, il était bossu, avait les jambes en
fer à cheval, une tête de batracien, des
oreilles de chauve-souris et des dents aussi
acérées que des lames de rasoir.

Mais, chose étonnante, ce troll avait
acquis en grandissant (quoique grandir
soit un terme un peu fort dans le cas

des trolls)... avait, dis-je, acquis une fort
mauvaise habitude : il adorait manger
les doigts !

Pour s'adonner à son vice, Ulf (car tel était son nom) observait invariablement la même méthode.

Lorsqu'il apercevait un marcheur solitaire déambulant dans le sentier de la montagne, il s'approchait, arborant un large sourire, et tendait la main en prononçant sa formule de politesse :

« Bonjour, enchanté de faire votre
connaissance. »

Comme les trolls sont généralement grossiers, extrêmement grincheux, et qu'ils ne tiennent pas le moins du monde à faire la connaissance de qui que ce soit, le promeneur, heureux de rencontrer un spécimen aussi sympathique, s'empressait d'avancer la main à son tour.

Ulf saisissait la main de l'interlocuteur
et, en un éclair, lui tranchait un doigt de
ses dents en lames de rasoir, puis s'enfuyait
aussi vite que le lui permettaient ses jambes
en fer à cheval, mastiquant à qui mieux
mieux et grimaçant de plaisir.

Quelle surprise pour les étrangers, en visite dans la région, que de voir tous ces gens, hommes, femmes et enfants, auxquels manquait un doigt de la main droite ou de la main gauche ! Les enfants étaient du reste les proies les plus recherchées : Ulf se délectait de leur chair tendre.

Personne ne perdait cependant plus d'un doigt, car même les très jeunes bambins ne commettaient pas une seconde fois la sottise de rendre la politesse au troll lorsqu'ils le croisaient sur leur chemin. Ils enfonçaient plutôt les mains dans leurs poches le plus profondément possible et prenaient la poudre d'escampette.

LA BARBE !

Ulf s'attaquait en général à l'index, le plus facile à attraper. Bien des enfants se trouvaient donc réduits à pointer le majeur...

et à tenir le crayon entre le majeur et l'annulaire...

Il arrivait aussi que le troll s'en prenne à l'auriculaire. Mais pour une raison obscure, il ne semblait pas apprécier les pouces.

Curieusement, les gens du pays faisaient preuve d'une tolérance et d'une patience iné-branlables. Ils semblaient composer sans trop de difficulté avec la mauvaise conduite d'Ulf.

« Ce qu'on n'peut changer, faut bien l'supporter », disaient-ils. Et comme ils estimaient inutile de se lamenter, ils préféraient vaquer à leurs occupations avec les doigts qu'il leur restait plutôt que de pleurer les pertes.

Chapitre 2

Qui sait combien de temps le vilain troll aurait continué d'imposer sa loi si la petite Béatrice ne s'en était mêlée...

Béatrice était la fille unique d'un éleveur de rennes. Elle avait une longue natte dorée et des yeux d'un bleu intense.

Sa beauté éclatante lui donnait un air de pure innocence ; elle était reine parmi les rennes.

Mais Béatrice était aussi une enfant raisonnable, qui écoutait les recommandations de ses parents.

Un soir, alors qu'ils se trouvaient installés près du feu, à proximité de leur tente, sa mère lui dit :

RAPPELLE-TOI, NE SERRE JAMAIS LA MAIN D'UN TROLL !

Elle remua le contenu de la marmite suspendue au-dessus des flammes. La main qui tenait la louche était dépourvue d'auriculaire.

De sa main droite à l'index manquant le père de Béatrice saisit un bout de bois qu'il jeta sur la braise et ajouta :

— Mais pourquoi est-ce que vous ne l'avez pas fait, vous deux ? interrogea la fillette.

— Lorsque nous étions enfants, reprit la mère, nous ne savions rien du croque doigts.

— Nous avons été parmi les premiers à le trouver sur notre route, poursuivit son père. Mais aujourd'hui, tout le monde connaît son existence.

— Pourquoi est-ce que toutes les mères et tous les pères ne mettent pas leurs enfants en garde, maman ?

— Ils le font, mais parfois les enfants n'écoutent pas, ou bien ils oublient tout simplement. Quant à toi, tâche de te souvenir.

Pendant qu'elle aidait son père à garder le troupeau de rennes qui paissait tranquillement sur le flanc de la montagne, Béatrice eut tout le loisir de réfléchir à la question.

« C'est bien joli d'ordonner aux enfants
de ne pas se faire manger les doigts,
songeait-elle, mais il faudrait surtout obliger
ce troll à perdre cette mauvaise habitude.
On ne mange pas les doigts des gens ! »

Et, comme à la beauté s'alliait chez la fillette un sens aigu de la détermination, elle résolut d'arrêter le croque doigts.

Mais comment faire ?

— De quelle grandeur sont les trolls, père ? demanda-t-elle tout en trayant un renne.

— Pas plus grands que toi, Béatrice. Mais beaucoup plus forts, répondit son père.

— Tu en as déjà rencontré un, dis ?

Pour toute réponse, son père leva
la main droite.

— Oui, mais depuis ce jour-là, je veux dire.

— Non, reprit le père, mais j'ai souvent entrevu des trolls des montagnes.

Ils déboulent dans leur trou parce qu'ils ont tous peur de nous. Tous sauf Ulf, le croque doigts.

— Et celui-là, tu ne l'as plus jamais revu ?

— Non, et j'espère que tu ne le rencontreras pas non plus.

Or, peu de temps après cette conversation, Béatrice se trouva nez à nez avec Ulf.

Chapitre 3

Si mornes soient-elles, les terres du
Nord n'en jouissent pas moins d'un été
bref, ponctué de journées chaudes, fleuries
et ensoleillées. Par l'une de ces matinées
exceptionnelles, le père de Béatrice lui remit

une gourde en peau de renne dont le
bouchon avait été confectionné à même
les bois de la bête. La gourde contenait
du lait de renne bien frais.

— Tu veux bien être gentille et aller porter ce lait à ta mère ? lui demanda-t-il.

Les pâturages se trouvant à proximité du campement familial, il ne songea pas un instant que sa fille puisse courir le moindre danger.

Béatrice s'en fut dans la montagne, portant la gourde dans la main droite. Peu de temps après son départ, elle aperçut un gros trou pratiqué dans un talus en pente raide.

Était-ce la maison d'un troll des montagnes ? À peine avait-elle eu le temps de se poser la question qu'une créature bossue aux jambes en fer à cheval, à la tête de batracien et aux oreilles de chauve-souris émergea du terrier.

La créature se dirigea droit vers Béatrice, la main tendue et un chaleureux sourire aux lèvres.

— Bonjour, enchantée de faire votre connaissance, dit-elle poliment à la fillette.

« Le croque doigts ! », songea Béatrice en se rappelant que ses parents l'avaient prévenue de cacher ses mains dans ses poches et de fuir si elle le rencontrait sur sa route. Mais elle décida plutôt d'affronter bravement le personnage, en se disant qu'elle n'aurait peut-être plus l'occasion de lui apprendre à ne pas manger les doigts. Elle allait donc lui tenir tête.

— Je suis désolée, lui dit-elle, mais je ne puis vous serrer la main puisque je tiens la gourde de lait.

— Vous pourriez toujours la tenir dans l'autre main, suggéra Ulf (car c'était bien lui).

— Je le pourrais, reprit Béatrice, mais je n'en ferai rien. J'ai entendu parler de vous, vous savez. Vous êtes Ulf, le croque doigts.

— Vraiment ? Et comment t'appelles-tu, toi, petite fille ? demanda Ulf en passant sa langue sur ses dents acérées comme des lames de rasoir.

— Je m'appelle Béatrice. Et je tiens à vous dire que ce n'est pas beau de manger les doigts.

« Voilà une petite demoiselle à l'esprit vif, se dit Ulf. Comment pourrais-je faire pour la prendre au piège ? » Il s'installa sur un tronc d'arbre voisin et, d'un air sérieux et songeur, croisa ses jambes en fer à cheval.

— Tu as raison, Béatrice, fit-il. J'ai tort de manger les doigts des gens, je le comprends à présent. Mais alors, donne-moi au moins un peu de lait.

« Dès qu'elle me tendra la gourde, songea Ulf, j'avalerai l'une de ces délicieuses petites saucisses roses ! »

— Il n'en est pas question, répliqua Béatrice. À cause de vous, ma mère et mon père ont perdu un doigt.

— Comme le temps passe, reprit Ulf. Je devais être un très jeune troll, à cette époque. Depuis, j'ai bien dû croquer une centaine de doigts.

— Eh bien, justement ! N'espérez pas en manger un cent unième, dit Béatrice.

Elle fit mine de se raviser :

— Mais réflexion faite, je veux bien vous donner de ce lait, ajouta-t-elle.

Et retirant le bouchon, elle secoua la gourde de manière à ce que le lait gicle sur le visage de batracien du troll et, avant que ce dernier n'ait eu le temps de revenir de sa surprise, elle avait pris la fuite.

Chapitre 4

Béatrice ne souffla mot à ses parents de sa rencontre avec Ulf. Elle prétexta plutôt qu'elle était tombée et que, dans sa chute, le bouchon de la gourde avait sauté, laissant échapper tout le lait. (« Un petit mensonge, ce n'est pas la mer à boire, après tout », s'était-elle dit.)

Mais elle continuait de penser au croque doigts : tôt ou tard, il faudrait bien le forcer à abandonner son affreuse habitude.

Et puis, un jour, une idée géniale germa dans la tête de la fillette.

Assise près de la tente, elle s'amusait avec les bois d'un renne. C'était l'époque de l'année où toutes les bêtes (mâles et femelles) perdaient leur ramure pour faire place à un nouveau panache. Les bois gisaient donc çà et là sur le sol, durs comme du roc et revêtant souvent les formes les plus bizarres. Le panache des rennes est imposant et ramifié. Chez certains mâles, ces ramifications (ou andouillers) se recourbent presque jusqu'à toucher le museau.

L'andouiller que tenait Béatrice avait dû appartenir à un jeune animal, car il était assez menu. Il se terminait par une surface plate comme la paume d'une main, d'où rayonnaient cinq branches qui, pensa-t-elle, pouvaient ressembler à quatre doigts et à un pouce. Eurêka ! La solution venait de lui apparaître !

Cet après-midi-là, en sortant de sa tanière, Ulf aperçut Béatrice qui s'approchait, une étincelle au coin de ses yeux bleus, et sa longue natte blonde se balançant au rythme de ses pas. À la grande surprise du troll, elle lui tendait d'emblée la main droite. Elle avait beau porter de gros gants en peau de renne, cela ne suffirait pas à lui épargner la morsure.

Voilà du moins ce que croyait Ulf, qui s'avança à la rencontre de la visiteuse.

— Bonjour, Ulf, fit gaiement Béatrice. Je viens m'excuser de vous avoir lancé du lait à la figure, l'autre jour. Acceptez-vous que nous nous serrions la main et que nous devenions amis ?

« Cette enfant est stupide, se dit Ulf. À croire qu'elle cherche les ennuis. Eh bien cette fois, je ne vais pas me contenter d'un seul doigt. C'est toute la main que je vais prendre ! »

Le troll saisit donc la main de Béatrice, l'engouffra dans sa gueule de batracien et croqua aussi fort qu'il le pouvait.

Un cri de mort s'ensuivit, amplifié par l'écho des montagnes avoisi- nantes. Les dents en lames de rasoir venaient de craquer sous le choc et volaient en éclats.

Béatrice retira alors le gant déchiré qui masquait l'andouiller, dont elle avait dissimulé la base dans sa manche. Exhibant la ramure à cinq extrémités qui ressemblait à s'y méprendre à une main, elle dit au troll :

— Bien fait pour vous ! Cette fois, vous vous en mordrez les doigts !

— Aïe ! Aïe ! Aïe ! Toutes mes dents branlent ! C'est atroce ! Je souffre... à l'aide !

La fillette consentit à aider Ulf. De la poche de sa jupe, elle tira une énorme paire de pinces que son père avait coutume d'utiliser pour extraire les cailloux qui venaient se loger dans les gros sabots évasés de ses rennes.

— Ouvrez grand, Ulf, ordonna-t-elle. Je vais faire de vous un bien meilleur troll.

À l'aide des pinces, elle extirpa un à un, et jusqu'au dernier, les chicots du croque doigts.

Chapitre 5

Même à la suite de sa mémorable
mésaventure, Ulf ne parvint pas facilement
à se débarrasser de sa mauvaise habitude.

Lorsque ses gencives se firent moins douloureuses, il tenta à plusieurs reprises de se montrer à la hauteur de sa réputation, mais, grâce à Béatrice, il n'y parvint pas. Car s'il est donné aux bois des rennes de repousser, tel n'est pas le cas de la dentition du troll des montagnes. Les quelques personnes dont il réussit à attraper un doigt se contentèrent de rigoler au contact de cette bouche édentée et prièrent le troll de cesser ses pitreries.

Réduit pour ainsi dire à broyer du noir,
Ulf sombra dans une terrible bouderie.
Il disparut dans sa tanière et on ne le revit
jamais.

S'il vous arrive, un jour, de traverser ces bonnes vieilles (et froides) terres du Nord, et de passer quelque temps avec les éleveurs de rennes, peut-être vous raconteront-ils l'histoire du troll Ulf et de cette petite fille appelée Béatrice qui, à elle seule, est parvenue à mettre fin aux agissements du croque doigts.

Un papa en papier

Les journaux! De véritables trésors que papa Massé dévore au creux de son fauteuil. À tant lire, pas étonnant qu'il en oublie ses neuf enfants et sa femme bien-aimée. Les enfants, excédés par la situation, décident de passer à l'attaque.

Avec un humour mordant et des personnages attachants, cette histoire a tout pour séduire.

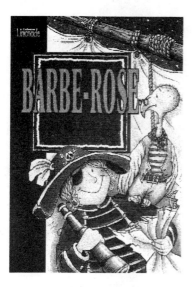

Barbe-Rose, pirate

Gare à vous, marins d'eau douce, Barbe-Rose vient d'accrocher ses bottes!

Toujours secondée par son maître d'œuvre, Charlie Vautour, elle a l'œil sur la Vieille Auberge pour lieu de retraite. Cependant, les habitants de Dortoir-sur-Mer ne partagent pas son avis.

Une histoire de matelot, salée à point, qui fera les délices de tous les corsaires en herbe.

Manteau, tu n'auras pas ma peau !

Il est rose avec deux rabats sur le devant. Il a l'air petit, mais il se mettra à grossir très vite. Il semble sage comme une image, mais il fait semblant...

Ses goûters préférés : des lettres (celles qui viennent de l'école plus précisément), des gants neufs et des petits rats... Prends garde ! Ce manteau n'est pas aussi ordinaire qu'il en a l'air !

Une histoire fantaisiste, farfelue à point, qui ravira les lecteurs friands d'émotions un peu corsées.

Le cadeau surprise

Pour son septième anniversaire, Annie voudrait bien avoir une planche à roulettes. Hélas ! ses parents n'ont pas d'argent. Son cousin Richard, enfant gâté et vantard, arrive, lui, avec une superbe planche à roulettes. Mais Richard ne connaît pas monsieur Victor, le voisin d'Annie. Celui-ci a toute une surprise pour elle !

Cette histoire amusera les jeunes lecteurs, tout en leur donnant matière à réfléchir.